Nordic Deco Ideas

Anne Black & Jesper Møseholm-Jørgensen

Introduction

キラキラと太陽の光が降り注ぐ、夏は
開け放した窓から通り抜ける、風を感じて…。
しんしんとまっ白な雪におおわれる、冬は
赤く燃える暖炉のそばで、ぬくもりに包まれて…。
北欧のアーティストたちが暮らす家には
自然に囲まれた、おだやかな日々を想像させる
気持ちのいい空気がただよっています。

私たちが訪ねたのは、北欧の3つの街
ストックホルム、コペンハーゲン、ヘルシンキ。
モダンで遊びごころのある、スウェーデン。
自由な感性があふれる、デンマーク。
ほっこりとやさしさ感じる、フィンランド。
そんなデザインを生み出す、アーティストたちが
大切にしているのは、いまここにある毎日。
暮らしの中にある、ちょっといいことの積み重ねが
北欧スタイルの心地よいインテリアを生んでいます。

ジュウ・ドゥ・ポゥム

Contents

6 **colour** 太陽の光を呼びこむ白い空間に。色のアクセント

22 **storage** お気に入りをディスプレイしながら、素敵に収納

36 **tableware** ぬくもり感じる、北欧生まれの陶磁器やガラス器

54 **walls** グラフィカルに壁面を飾って、オリジナルの空間に

みんなが集まる部屋を、心地よく照らすライト **light** 72

カラフルなテキスタイルは、北欧インテリアの主役 **textiles** 86

ハンドメイドとインテリアの小さなアイデアたち **little ideas** 100

戸外の眺めを絵画のように見せる、窓辺の楽しみ **windows** 112

太陽の光を呼びこむ白い空間に、色のアクセント

colour

colour

北欧のアパルトマンでよく見かけられるのが、さっと白くペイントした木の床と白い壁面の組みあわせ。太陽の光を呼びこみ、木の素材感がいきるナチュラルな空間に、夏には明るくさわやかな色を、そして冬にはぬくもりを感じるあたたかな色をプラスして。家具や雑貨で、色どりを添えていく楽しさにあふれています。

🏠 Hanna Englund & Axel Boman

🏠 Hanna Konola & Jukka Koops  🏠 Aino-Maija Metsola & Georgi Eremenko

Ditte Rode & Thomas Ryborg

Jenny Steggo & Tor Forsse

🏠 Katja Saarela & Erkki Mikkonen

🏠 Aija Rouhiainen & Vana Väisänen

⌂ Eva Liljefors & Paul Kühlhorn

⌂ Teresa Holmberg & David Castenfors

⌂ Maria Munkholm

⌂ Sanna Sjerilä & Chris Bolton

⌂ Tess Oweson & Andreas Ribbung

⌂ Therese & Johan Kärrman

Laura Savioja & Ilja Karsikas

Laura Savioja & Ilja Karsikas

Mia & Jan Risager

 Kirsten Fribert

 Hanne Hague & Johan Wåhlin

Isabel Berglund & Kristian Devantier

🏠 Sasha Huber & Petri Saarikko

🏠 Ilona Hyötyläinen & Teemu Hämäläinen

17

🏠 Aino-Maija Metsola & Georgi Eremenko

🏠 Hanna Konola & Jukka Koops

🏠 Ilona Hyötyläinen & Teemu Hämäläinen

🏠 Sara Narin & Peter Toftsø

Malin Schmidt & Thomas Bentzen

Stine & Niels Holscher

Sarah Müllertz

お気に入りをディスプレイしながら、素敵に収納
storage

Sarah Müllertz

storage

シンプルな美しさと機能性をあわせもつ北欧デザインの感性は、収納面にも感じられます。うらやましいほどの収納力がある壁一面の棚は、ディスプレイコーナーとしても魅力的。また枝ぶりのいい木を使ったボールハンガーや、ボードにゴムバンドをかけたシューズラック、パイプをリユースした洋服ラックなど、DIYのアイデアもいろいろ。

🏠 Pia Simensen & Daniel Jansfors

🏠 Åsa Hellberg & Oscar Norlin

🏠 Hanna Konola & Jukka Koops

Laura Savioja & Ilja Karsikas

🏠 Hanne Hague & Johan Wåhlin

🏠 Aija Rouhiainen & Vane Väisänen

🏠 Linda Linko & Valter Filosof

Mari Relander

Laura Savioja & Ilja Karsikas

Nicole Kruckenberg & Jonas Breum

Anne Black & Jesper Moseholm-Jørgensen

Linda Linko & Valter Filosof

Sofie Hannibal & Morten Køie

TEGNINGER

🏠 Anne Black & Jesper Moseholm-Jørgensen

Åsa Hellberg & Oscar Norlin

MAPPER

🏠 Laura Savioja & Ilja Karsikas

🏠 Aija Rouhiainen & Väne Väisänen

🏠 Nicole Kruckenberg & Jonas Breum

🏠 Linda Westin &
Petter Kallioinen

🏠 Hanne Hague & Johan Wåhlin

🏠 Katja Saarela & Erkki Mikkonen

Hanne Hague & Johan Wåhlin

🏠 Aija Rouhiainen & Väne Väisänen

🏠 Mia & Jan Risager

Anne Nowak & Martin Daugaard

ぬくもり感じる、北欧生まれの陶磁器やガラス器
tableware

Hanna Konola & Jukka Koops

37

38　⌂ Eva Liljefors & Paul Kühlhorn

tableware
北欧には、魅力的なテーブルウェア・ブランドがたくさん。家族から譲り受けた品や、のみの市で少しずつ集めたものなど、アーティストたちのお気に入りも、やっぱり自分の国で生まれたデザインでした。シンプルで素朴なフォルムに、手のぬくもりを感じるイラストや大胆な色使い…テーブル・コーディネートが楽しくなる食器たちばかりです。

⌂ Jessica Leino & Aarno Rankka　　⌂ Marijke Harenberg & Mårten Hedbom

Jenny Steggo & Tom Forsse

Carina Sandahl Söe-Knudsen & Peter Sandahl

🏠 Fanny & Christian Sundgren

🏠 Katarina Stauch

🏠 Maarit Hohteri & Vladimir Kekez

41

🏠 Laura Savioja & Ilja Karsikas

🏠 Sasha Huber & Petri Saarikko

42

🏠 Laura Savioja & Ilja Karsikas 🏠 Hella Hernberg

43

🏠 Mari Relander

🏠 Nicole Kruckenberg & Jonas Breum

🏠 Christina & Per L. Halstrøm

45

🏠 Katarina Stauch

Karen Kjældgård-Larsen & Mads Hagedorn-Olsen

🏠 Ilona Hyötyläinen & Teemu Hämäläinen

🏠 Maarit Hohteri & Vladimir Kekez

🏠 Hanna Konola & Jukka Koops

🏠 Charlotte Öström & Rikard Gartmyr

🏠 Laura Vainola & Pekka Toivonen

🏠 Vera Öller

⌂ Ann Charlotte Ridderstolpe & Petter Lindgren

⌂ Katarina Stauch

48

⌂ Linda Linko & Valter Filosof

🏠 Katja Saarela & Erkki Mikkonen

🏠 Sanna Sierilä & Chris Bolton

50

🏠 Hanna Konola & Jukka Koops

🏠 Mari Relander

🏠 Ann Charlotte Ridderstolpe & Petter Lindgren

Carina Sandahl Söe-Knudsen & Peter Sandahl

52

🏠 Mari Relander

🏠 Laura Savioja & Ilja Karsikas

53

Åsa Hellberg & Oscar Norlin

54

グラフィカルに壁面を飾って、オリジナルの空間に

walls

homework

Mia & Jan Risager

walls

お気に入りのイメージや思い出のオブジェをディスプレイした壁面は、アパルトマンに暮らす人の個性あふれるフリースペース。昔ながらのハンドプリントで手がけられたデザイン壁紙は、白をベースにした空間の素敵なアクセント。壁に直接ペイントするという、アーティストならではの楽しいアイデアにも出会うことができました。

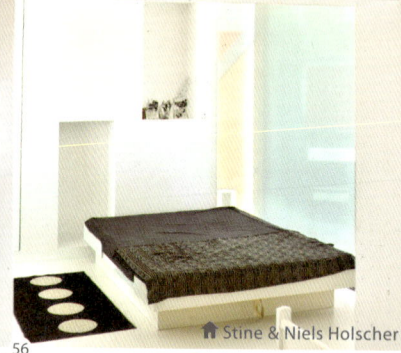

🏠 Stine & Niels Holscher

🏠 Caroline Goetze

🏠 Janine Rewell

57

Katarina Stauch

Carina Sandahl Söe-Knudsen & Peter Sandahl

Isabel Berglund & Kristian Devantier

Mia & Jan Risager

Ditte Rode & Thomas Ryborg

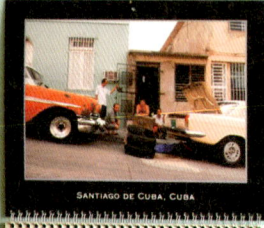

⌂ Laura Savioja & Ilja Karsikas

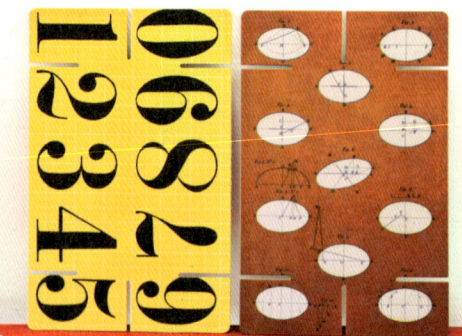

⌂ Malin Schmidt & Thomas Bentzen

⌂ Maria Munkholm

Pia Simensen & Daniel Jansfors

Therese & Johan Karrman

Sanna Sierilä & Chris Bolton

63

Karen Kjældgård-Larsen & Mads Hagedorn-Olsen

Rauchen verboten

НАРОДН

Maarit Hohteri & Vladimir Kekez

🏠 Anne Nowak & Martin Daugaard

Laura Väinölä & Pekka Toivonen

🏠 Anne Nowak & Martin Daugaard

🏠 Ilona Hyötyläinen & Teemu Hämäläinen

🏠 Ditte Rode & Thomas Ryborg

🏠 Katja Saarela & Erkki Mikkonen

68

🏠 Laura Savioja & Ilja Karsikas

🏠 Pia Simensen & Daniel Jansfors

🏠 Nicole Kruckenberg & Jonas Breum

69

Kirsten Fribert

Laura Väinölä & Pekka Toivonen

Ditte Rode & Thomas Ryborg

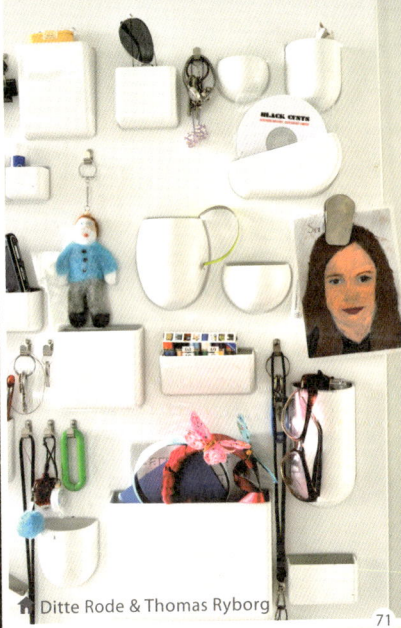

71

Linda Linko & Valter Filosof

みんなが集まる部屋を、心地よく照らすライト
light

Eva Liljefors & Paul Kûhlhorn

73

light

家で過ごす時間を大切にしている、北欧のアーティストたち。居心地のよい空間を作る、大きなポイントのひとつが光の取り入れ方です。長い冬のあいだ日照時間が少なくても、素敵な照明のもとで、あたたかい気持ちになれるように。さまざまなデザインの照明を組みあわせて、光と影のハーモニーを生み出しています。

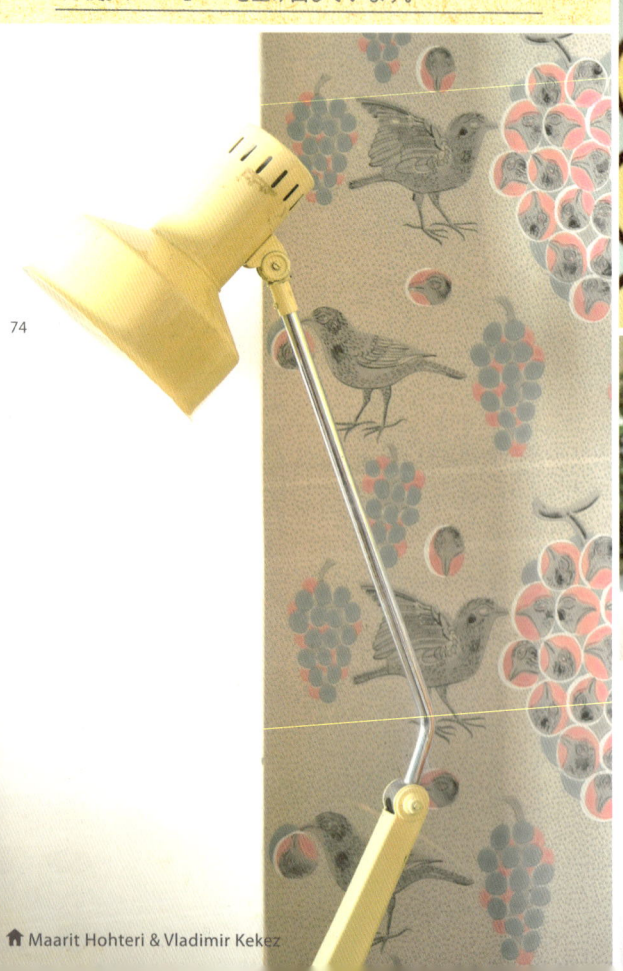

🏠 Maarit Hohteri & Vladimir Kekez

🏠 Aija Rouhiainen & Väne Väisänen

🏠 Sara & Henrik Skogsmark

Anne Black & Jesper Moseholm-Jørgensen

🏠 Katarina Stauch

🏠 Jessica Leino & Aarno Rankka

🏠 Mari Relander

🏠 Laura Savioja & Ilja Karsikas

Christina Breeze Le Guellaff & Thomas Le Guellaff

🏠 Malin Schmidt & Thomas Bentzen

🏠 Maarit Hohteri & Vladimir Kekez 🏠 Eva Liljefors & Paul Kühlhorn 🏠 Fanny & Christian Sundgren

🏠 Mari Relander

80

🏠 Sofie Hannibal & Morten Køie

🏠 Laura Väinölä & Pekka Toivonen

🏠 Anne Nowak & Martin Daugaard

> HIER UND JETZT
> ZUFRIEDEN SEIN
> BE SATISFIED
> HERE AND NOW

Christina & Per L. Halstrøm

Hella Hernberg

🏠 Hanne Hague & Johan Wåhlin

🏠 Vera Öller

🏠 Fanny & Christian Sundgren

🏠 Karen Præstegård Larsen & Mads Hagedorn-Olsen

🏠 Carina Sandahl Söe-Knudsen & Peter Sandahl

🏠 Åsa Agerstam & Klas Jonsson

🏠 Katja Saarela & Erkki Mikkonen

Rikke Graeber &
Anders Busk-Faaborg

カラフルなテキスタイルは、北欧インテリアの主役

textiles

Åsa Hellberg & Oscar Norlin

textiles

北欧生まれのテキスタイルには、植物や動物、私たちを取り囲む自然がモチーフになっているデザインが多くみられます。どっきりするほど大胆なプリントや色使いも、どこかやさしい雰囲気。お気に入りの色や柄をテキスタイル雑貨から取り入れて、自分の時間を過ごす部屋をいきいきとした喜びでいろどってみませんか？

🏠 Fanny & Christian Sundgren

🏠 Hanna Konola & Jukka Koops

🏠 Sanna Sierilä & Chris Bolton

Aino-Maija Metsola & Georgi Eremenko

🏠 Maarit Hohteri & Vladimir Kekez

🏠 Jessica Leino & Aarno Rankka

🏠 Katja Saarela & Erkki Mikkonen

91

🏠 Åsa Hellberg & Oscar Norlin

🏠 Teresa Holmberg & David Castenfors

🏠 Maj Persdatter

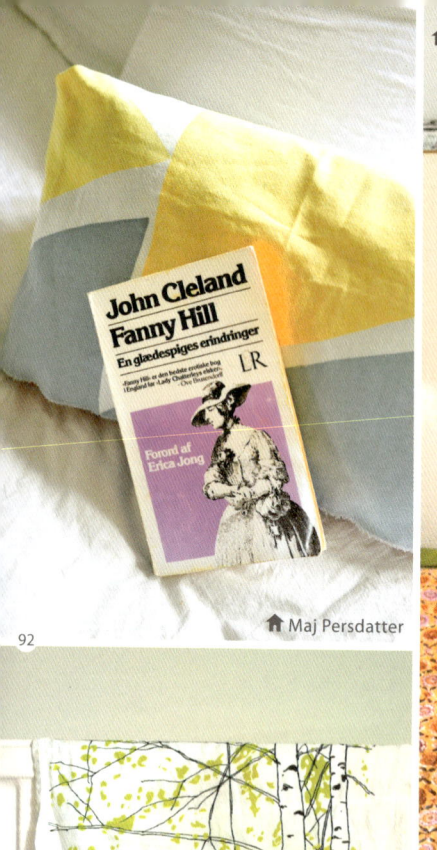

🏠 Rikke Graeber & Anders Busk-Faaborg

🏠 Linda Westin & Petter Kallioinen

93

Vera Öller

🏠 Alikka Gaider Petersen

🏠 Laura Väinölä & Pekka Toivonen

95

🏠 Sasha Huber & Petri Saarikko

⌂ Anne Black & Jesper Moseholm-Jørgensen

⌂ Mia & Jan Risager

⌂ Anne Nowak & Martin Daugaard

⌂ Nan Na Hvass

Anne Nowak & Martin Daugaard

98

🏠 Kirsten Fribert

🏠 Hanna Konola & Jukka Koops

Aino-Maija Metsola & Georgi Gremenko

ハンドメイドとインテリアの小さなアイデアたち
little ideas

101

Åsa Hellberg & Oscar Norlin

little ideas

本棚の中のドールハウス、観光地のポストカードで作ったタペストリー、かけてしまったお気に入りのカップ&ソーサーを植物の鉢に。アーティストたちの住まいで出会った、ユニークなデコレーションは、小さなひらめきから生まれたものばかり。たとえアイデアはささやかでも、部屋にぬくもりと個性を与える大きな存在です。

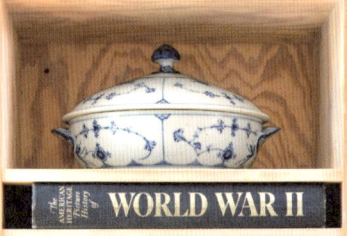

🏠 Karen Kjældgård-Larsen & Mads Hagedorn-Olsen

🏠 Katarina Stauch

🏠 Christina Breeze Le Guellaff & Thomas Le Guellaff

Aija Rouhiainen & Väne Väisänen

🏠 Carina Sandahl-Joe-Knudsen & Peter Sandahl

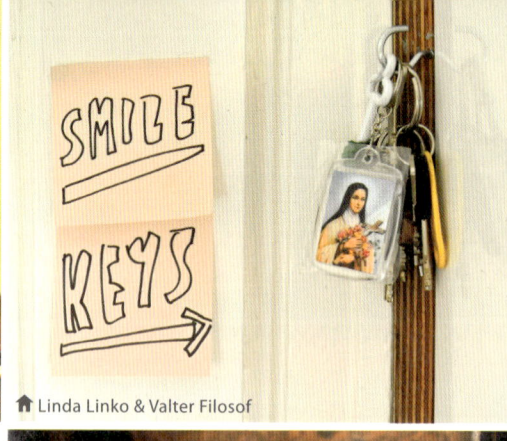

🏠 Linda Linko & Valter Filosof

104

🏠 Hanna Englund & Axel Boman

🏠 Anne Black & Jesper Moseholm-Jørgensen

🏠 Kirsten Fribert

🏠 Isabel Berglund & Kristian Devantier

105

🏠 Åsa Hellberg & Oscar Norlin

🏠 Charlotte Öström & Rikard Gartmyr

🏠 Caroline Goetze

107

🏠 Maj Persdatter

🏠 Linda Linko & Valter Filosof

🏠 Janine Rewell

🏠 Sara Narin & Peter Toftsø

🏠 Mari Relander

LOUD!

Anne Black & Jesper Moseholm Jørgensen

Tess Oweson & Andreas Ribbung

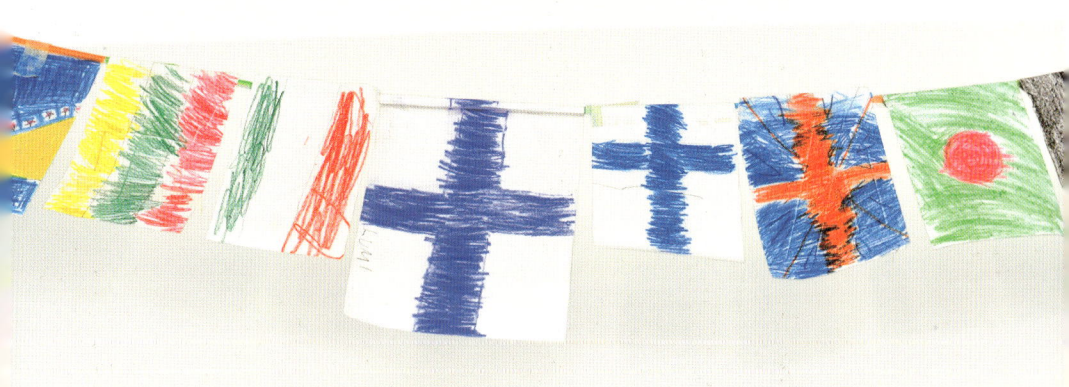

🏠 Vera Öller

111

🏠 Aija Rouhiainen & Väinö Väisänen   🏠 Hella Hemberg

Stine & Niels Holscher

戸外の眺めを絵画のように見せる、窓辺の楽しみ

windows

🏠 Karen Kjældgård-Larsen & Mads Hagedorn-Olsen

windows

まぶしい太陽の光に包まれる、夏の北欧。アパルトマンの大きく開放的な窓には、カーテンをかけていないことが多く、室内にはさんさんと光が降り注ぎます。窓辺のデコレーションは、部屋の中から景色を眺めるときはもちろん、通りを行く人の目も楽しませるもの。そんな心遣いから、街全体の美しさは生まれるのかもしれません。

🏠 Maj Persdatter 　🏠 Charlotte Öström & Rikard Gartmyr

Anne Nowak & Martin Daugaard

🏠 Thérèse & Johan Kärrman

🏠 Karen Kjældgård-Larsen & Mads Hagedorn-Olsen

🏠 Ilona Hyötyläinen & Teemu Hämäläinen

117

🏠 Sara Narin & Peter Toftsø

118

Rikke Graeber & Anders Busk-Faaborg

🏠 Laura Savioja & Ilja Karsikas

119

🏠 Linda Westin & Petter Kallioinen

🏠 Katja Saarela & Erkki Mikkonen

Ditte Rode & Thomas Ryborg

Jenny Steggo & Tor Forsse

Åsa Hellberg & Oscar Norlin

Ann Charlotte Ridderstolpe & Petter Lindgren

Åsa Agerstam & Klas Jonsson

Mia & Jan Risager

Hanna Englund & Axel Boman

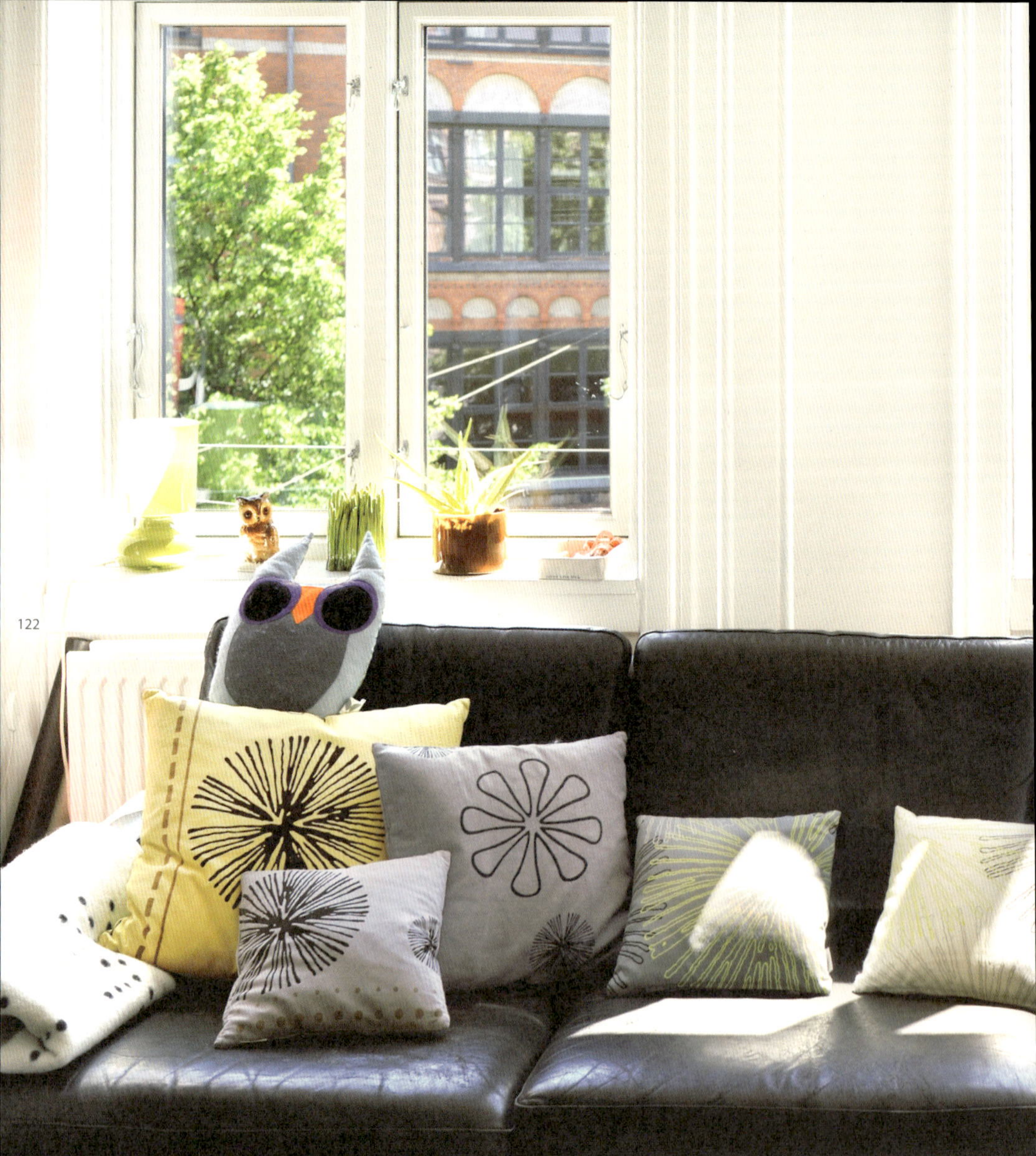

122

Christina Breeze
Le Guellaff &
Thomas Le Guellaff

Fanny & Christian Sundgren

Ann Charlotte Ridderstolpe & Petter Lindgren

125

🏠 Anne Black & Jesper Moseholm-Jørgensen

🏠 Karen Kjældgård-Larsen & Mads Hagedorn-Ölsen

🏠 Nan Na Hvass

🏠 Pia Simensen & Daniel Jansfors

The editorial team

édition PAUMES

Photographs : Hisashi Tokuyoshi
Design : Kei Yamazaki, Megumi Mori
Illustrations : Kei Yamazaki
Text : Coco Tashima
Coordination : Anna Varakas, Charlotte Sunden-Barbotin, Yong Andersson
Editorial advisor : Fumie Shimoji
Editor : Coco Tashima
Sales Manager : Rie Sakai
Art direction : Hisashi Tokuyoshi

Contact : info@paumes.com   www.paumes.com

Impression : Makoto Printing System
Distribution : Shufunotomosha

We would like to thank all the artists that contributed to this book.

édition PAUMES ジュウ・ドゥ・ボゥム

ジュウ・ドゥ・ボゥムは、フランスをはじめ海外のアーティストたちの日本での活動をプロデュースするエージェントとしてスタートしました。
魅力的なアーティストたちのことを、より広く知ってもらいたいという思いから、クリエーションシリーズ、ガイドシリーズといった数多くの書籍を手がけています。近著には「パリ デコ・アイデアブック」「パリでおいしいお茶時間」などがあります。ジュウ・ドゥ・ボゥムの詳しい情報は、www.paumes.comをご覧ください。

また、アーティストの作品に直接触れてもらうスペースとして生まれた「ギャラリー・ドゥー・ディマンシュ」は、インテリア雑貨や絵本、アクセサリーなど、アーティストの作品をセレクトしたギャラリーショップ。ギャラリースペースで行われる展示会も、さまざまなアーティストとの出会いの場として好評です。ショップの情報は、www.2dimanche.comをご覧ください。

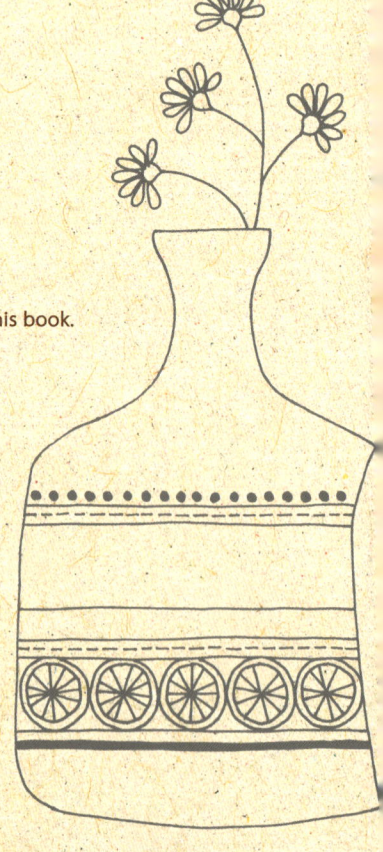

Nordic Deco Ideas

北欧デコ・アイデアブック

2012 年 6 月 30 日 初版第 1 刷発行

著者：ジュウ・ドゥ・ポゥム

発行人：德吉 久、下地 文恵
発行所：有限会社ジュウ・ドゥ・ポゥム
　　　　〒 150-0001 東京都渋谷区神宮前 3-5-6
　　　　編集部 TEL / 03-5413-5541
　　　　www.paumes.com

発売元：株式会社 主婦の友社
　　　　〒 101-8911 東京都千代田区神田駿河台 2-9
　　　　販売部 TEL / 03-5280-7551

印刷製本：マコト印刷株式会社

Photos © Hisashi Tokuyoshi
© édition PAUMES 2012 Printed in Japan
ISBN978-4-07-283475-6

Ⓡ＜日本複写権センター委託出版物＞
本書（誌）を無断で複写複製（電子化を含む）することは、著作権法上の例外を除き、禁じられています。本書（誌）をコピーされる場合は、事前に日本複写権センター（JRRC）の許諾を受けてください。
また本書を代行業者等の第三者に依頼してスキャンやデジタル化することは、たとえ個人や家庭内での利用であっても、一切認められておりません。
日本複写権センター（JRRC）
http://www.jrrc.or.jp　e メール：info@jrrc.or.jp　電話：03-3401-2382

＊乱丁本、落丁本はおとりかえします。お買い求めの書店か、
　主婦の友社 販売部 03-5280-7551 にご連絡下さい。
＊記事内容に関する場合はジュウ・ドゥ・ポゥム 03-5413-5541 まで。
＊主婦の友社発売の書籍・ムックのご注文はお近くの書店か、
　コールセンター 049-259-1236 まで。主婦の友社ホームページ
　http://www.shufunotomo.co.jp/ からもお申込できます。

ジュウ・ドゥ・ポゥムのクリエーションシリーズ
www.paumes.com

『パリ デコ・アイデアブック』も好評発売中！

著者：ジュウ・ドゥ・ポゥム
ISBNコード：978-4-07-283452-7
判型：A5変形・本文128ページ・
　　　オールカラー
本体価格：1,800円（税別）

北欧デコ・アイデアブックは、この本から生まれました

Finland Apartments
フィンランドのアパルトマン

ヘルシンキに暮らす、アーティストたちの家は
身の回りのものへの愛情あふれる、おだやかな空間

著者：ジュウ・ドゥ・ポゥム
ISBNコード：978-4-07-279901-7
判型：A5・本文128ページ・
　　　オールカラー
本体価格：1,800円（税別）

Copenhagen Apartments
北欧コペンハーゲンのアパルトマン

おとぎ話の街、デンマーク・コペンハーゲン
いつでもヴァカンスのよう、心地よいインテリア

著者：ジュウ・ドゥ・ポゥム
ISBNコード：978-4-07-269794-8
判型：A5・本文128ページ・
　　　オールカラー
本体価格：1,800円（税別）

Stockholm Family Style
北欧ストックホルムの
ファミリースタイル

スウェーデンのアーティスト家族の住まい17軒
みんなが集まる、笑顔いっぱいの楽しい時間

著者：ジュウ・ドゥ・ポゥム
ISBNコード：978-4-07-277457-1
判型：A5・本文128ページ・
　　　オールカラー
本体価格：1,800円（税別）

Stockholm's Love Apartments
北欧ストックホルム
恋人たちのアパルトマン

さわやかで、やさしいラブストーリーに包まれた
スウェーデンのクリエーター・カップルの部屋

著者：ジュウ・ドゥ・ポゥム
ISBNコード：978-4-07-259330-1
判型：A5・本文128ページ・
　　　オールカラー
本体価格：1,800円（税別）

ご注文はお近くの書店、または主婦の友社コールセンター（049-259-1236）まで。
主婦の友社ホームページ（http://www.shufunotomo.co.jp/）からもお申込できます。